Wáág het niet!

Mirjam Oldenhave

met tekeningen van Marja Meijer

Helden

Inhoud

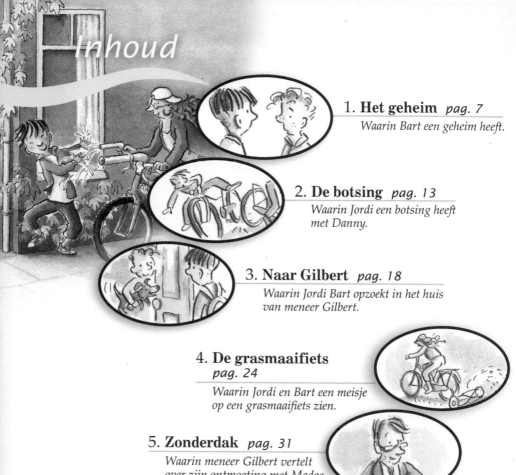

De hoofdpersonen

Over Jordi

Jordi is een gewone jongen.
Een jongen die wordt gepest door Danny.
Dan ontmoet hij de uitvinder Madoe.
Madoe maakt voor hem een uitvinding.
En ineens is Jordi helemaal niet meer
bang ...

Over Stern

Stern houdt van poezen.
Ze vind een nest poesjes.
De poesjes zijn bij meneer Gilbert.
Ze fietst langs zijn huis.
Dan ziet Stern het bord:
Poesjes te koop.
Kan Stern de poezen nog redden?

1. Het geheim

'Punt voor mij,' zegt Jordi.
'Twintig-twee.'
Hij speelt pingpong met Bart.
Maar hij kan het net zo goed alleen spelen.
Twintig-twee!
Bart slaat alles mis.
'Jij moet opslaan,' zegt Bart.
Jordi pakt het balletje, slaat op en ...
'21-2, jij wint,' zegt Bart.
En niet zo'n beetje ook, denkt Jordi.

Aan de rand van de speeltuin staat een bank.
Jordi en Bart lopen erheen.
Meestal zitten er moeders op.
Maar nu is de hele speeltuin leeg.
Ze gaan op de leuning zitten en zeggen een tijdje
niks.
Ik moet even iets aardigs zeggen, denkt Jordi.
Dan begint Bart te lachen.
'21-2!' roept hij.
'Weet je hoe dat kwam?'
Jordi schudt nieuwsgierig zijn hoofd.

'Ik speelde met links!' zegt Bart.
'Dat wilde ik eens proberen.'
Verbaasd kijkt Jordi hem aan.
Was dat écht zo? denkt hij.
'Grapje!' zegt Bart gauw.
'Wist ik heus wel,' antwoordt Jordi.

Dan slaakt Bart een diepe zucht.
Zo te horen baalt hij heel erg.
'Joh, dat kan iedereen toch gebeuren?' zegt Jordi.
Behalve mij, denkt hij.
'Er is iets aan de hand,' zegt Bart.
'Je bent verliefd!' roept Jordi geschrokken.
'Op Stern, zeker!'
Bart kijkt hem aan met een vies gezicht.
'Doe even normaal!' zei hij.
Oef, gelukkig.
'Er is iets heel raars,' gaat Bart verder.
Wat dan, hoe dan, waar dan? denkt Jordi.
Maar hij vraagt niets.
Hij bijt op zijn tong.
Bij Bart moet je altijd rustig wachten.
'Ik moet zaterdag ergens heen,' zegt Bart.
'Goh!' antwoordt Jordi.

Stilte.

'Naar de nieuwe vriend van mijn moeder,' gaat
Bart verder.

'Is je moeder verliefd?' roept Jordi.

Bart knikt.

Op wie, op wie, op wie? denkt Jordi.

Maar hij zegt weer: 'Goh.'

Dan kijkt Bart hem lachend aan.

'Vertel nou!' roept Jordi.

'Raad maar,' zegt Bart.

'Meester Kas?'

Bart schudt geschrokken zijn hoofd.

'Die buurman, met die snor?' raadt Jordi.

'Die is tachtig!' roept Bart.

'Op wie dan?

Ken ik hem wel?' vraagt Jordi.

Bart knikt.

'Hij is toch niet getrouwd, hè?'

'Nee joh!'

'Vind je hem aardig?' vraagt Jordi.

'Héél aardig,' antwoordt Bart geheimzinnig.

Jordi denkt en denkt ...

Welke mannen kent hij nog meer?

Mannen die niet getrouwd zijn ...

9

O, wacht eens even, hij weet er nog één ...
Verbaasd kijk hij naar Bart.
Die zit nog steeds te grijnzen.
'Is het misschien Gilbert?' vraagt Jordi voorzichtig.
'Raak!' roept Bart.
'Gilbert, is je moeder op Gilbert?' roept Jordi.
'Maar ... die is miljonair!
Straks ben je de zoon van een miljonair.'
'Ho!' zegt Bart.
'Ze is alleen nog maar verliefd.
Dat zegt nog niets!'

Jordi kan het niet geloven.
Een paar weken terug liep hij langs het kanaal.
Toen werd er een man aangereden door een
brommer.
Het hondje van de man viel in het water.
Alle mensen renden naar de man.
Maar Jordi dook het kanaal in!
En als een echte held redde hij het hondje.
Die man, dat was dus Gilbert.
Hij hield heel erg veel van zijn hondje.
Dus hij was Jordi eeuwig dankbaar.
Zo hadden ze elkaar leren kennen.

En nu was de moeder van Bart ...

'Hé!' zei Jordi ineens.

'Is het ook wel andersom?

Ik bedoel ...

Is Gilbert ook verliefd op je moeder?'

Nu moest Bart echt keíhard lachen.

'Verliefd?

Hij is helemaal gek,' zei hij.

'Echt knotsgek, knettergek!

Hij is nu op reis.

Maar hij stuurt honderd sms-jes per uur.

Eerst kocht hij van alles.
Maar dat mocht niet meer van mijn moeder.
Nu krijgt ze elke dag rozen.
Het hele huis staat vol.'
Jordi kan het nog steeds niet geloven.
Gilbert met de moeder van Bart.
'Vind je het leuk?' vraagt hij.
Bart knikt.
'Mijn moeder is heel vrolijk,' zegt hij.
'En ik vind Gilbert aardig.
O ja, ik wou nog iets vragen ...
In het weekend komt Gilbert thuis van zijn reis.
Heb je zin om dan mee naar Gilbert te gaan?'
Jordi hoeft echt niet na te denken.
'Natuurlijk!'

2. De botsing

Het is zaterdag.
Jordi bindt zijn tas achter op de fiets.
'Doen je remmen het wel?' vraagt zijn moeder.
Jordi knikt.
'Doe je de groeten aan de moeder van Bart?'
Zijn moeder geeft hem een kus.
'Heb je ...' begint ze.
'Ja, ik heb alles bij me,' zegt Jordi snel.
Hij krijgt nog een kus en dan fietst hij weg.

Het is nog rustig op straat.
Iedereen ligt nog in bed.
Wat een luilakken, denkt Jordi.
Hij fietst lekker hard.
Hij heeft ook nog wind mee.
Een brommer zou hem niet kunnen inhalen.
Ineens komt er een fiets uit de zijstraat.
Jordi ziet het te laat.
De fietser knalt tegen hem aan.
In een flits ziet Jordi wie het is.
Danny!
Hij deed het expres!

Lachend rijdt Danny verder.
Jordi begint te slingeren.
Hij kan zijn stuur nog recht krijgen ...
Die boom, die boom!
Te laat, hij knalt tegen de boom aan.
Keihard valt hij op de grond.
Au! denkt hij.
En nog eens: Au!
Hij blijft even liggen.
Dan komt hij langzaam overeind.
Zijn pols doet zeer.
Verder gaat het wel.
Ik haat hem, denkt Jordi.
Ik haat hem, ik haat hem.
Hij wil net opstaan.
Dan hoort hij: 'Hé!'
Ook dat nog.
Daar is Stern, op haar stoere fiets.
Jordi vindt haar leuk.
Daarom is het zo erg dat ze hem ziet.
'Wat is er?' vraagt ze.
'Niets,' mompelt Jordi.
Stern lacht hem uit.
Ze zegt dat hij op een vogeltje lijkt.

Ja hoor, op een vogeltje, lekker stoer!
'Doet het pijn?' vraagt Stern.
Het doet heel veel pijn.
'Mmm,' antwoordt Jordi.
Stern ergert zich, dat ziet hij.
'Tjonge jonge,' zegt ze.
'Doe niet zo vaag.
Heb je pijn of niet?
Zo ja, dan moet je naar de dokter.
Zo nee, dan hoef je niet.
Nou, doet het pijn?'
Ze lijkt mijn moeder wel, denkt Jordi.
'Een beetje,' zegt hij.
Stern zucht, maar ze kijkt heel lief.
'Dan hoef je niet naar de dokter.
Wat is er gebeurd?'
Jordi haalt diep adem.
Dan vertelt hij over Danny.
En ja hoor, Stern moet erom lachen.
Haha, wát leuk, denkt Jordi.
'Waar is hij nu?' vraagt ze.
Weet ik veel, denkt Jordi.
'Naar huis,' mompelt hij.
Hij schaamt zich rot, ging ze maar weg.

'Zal ik hem in elkaar slaan?' vraagt ze dan.
Jordi kijkt verbaasd.
'Doe maar niet,' zegt hij.
Stern keert haar fiets om.
'Dan niet.
Maar ik zal het hem wél zeggen!'
Zwaaiend rijdt ze weg.
Langzaam staat Jordi op.
Dat Danny hem liet vallen is erg.
Maar dat Stern hem zag liggen, is nóg erger!
Mopperend fietst hij naar Bart.

3. Naar Gilbert

Dan komt Jordi bij de Laanstraat.
Daar is het huis van Gilbert.
Nou ja, huis ...
Het is zo groot, je kunt beter 'paleis' zeggen.
Je kunt niet zomaar aanbellen.
Eerst moet je naar een soort loket.
Daar zit een dame achter.
Ze heet Palma.
Zacht klopt Jordi op het glas.
'Hallo?'
Palma hoort hem niet.
Ze is heel druk met ...
Tja, met niks eigenlijk.
Ze zit in een tijdschrift te lezen.
'Ik heb een afspraak met Bart,' zegt Jordi.
'Momentje,' antwoordt Palma.
Ze slaat de bladzijde om en leest verder.
Bart klopt weer op het raam.
'Wil je hem misschien even roepen?' vraagt hij.
Palma zucht diep.
'Wie?' vraagt ze.
'Bart!'

'Die ken ik niet,' zegt ze.

'Jawel, Bart, de zoon van ...'

Jordi denkt na.

Hoe legt hij dat uit?

'Ze is de nieuwe ...

Ik bedoel, de moeder van mijn vriend ...'

'Laat maar,' zegt Palma.

Ze drukt op een knop.

Dan leest ze weer verder.

Gelukkig gaat de deur snel open.

Daar is Bart.

Er dribbelt een klein hondje achter hem aan.

'Koezie!' roept Jordi.

Koezie maakt een sprong ...

... en landt in Jordi's armen.

'Je lijkt wel een sprinkhaan!' lacht Jordi.

Koezie is het hondje dat Jordi gered heeft.

En het is net alsof Koezie dat nog weet.

Bart wijst stiekem naar Palma.

Hij trekt een heel vies gezicht.

'Kom je binnen?' vraagt hij dan.

Ze lopen door de lange, lange gang.

Koezie rent voorop.

19

'Kom, we gaan naar de tuin,' zegt Bart.
'Anders moeten we naar Gilbert en mijn moeder.
Bèh, wat een tortelduifjes!'
Jordi moet lachen.
'Zo word jij later ook, hoor!'
'Nóóit!' zegt Bart meteen.

Aan het einde van de gang is de tuindeur.
'Die zit toch op slot?' vraagt Jordi.
'Wacht maar,' zegt Bart.
Koezie gaat zitten.
'Kef!' doet hij.

En hup, de deur zwaait open.
'Dat heeft Gilbert laten maken,' vertelt Bart.
'Speciaal voor Koezie.'

De tuin is zo groot als een voetbalveld.
Nee, drie!
In de hoek staat een klein huis.
Daar woont meneer Piet.
Hij is de butler van Gilbert.
En hij is ook de kok, en de tuinman.
De dierenarts en de klusjesman.
Gilbert noemt hem de 'allesman'.
'Kom, we gaan hallo tegen Piet zeggen,' zegt Jordi.
Ze gaan naar het huisje en kloppen aan.
'Hij is misschien in het grote huis,' zegt Bart.
Jordi gluurt door het raam.
'Bart, kom kijken!' roept hij.
Het is een vreselijke troep binnen.
Terwijl Piet zo netjes is.
'Wat is dit nou,' mompelt Bart.
Er staat een soort step en een stofzuiger.
Een gasfornuis, drie tv's,
heel veel tennisballen.
Een koffer, een trampoline ...

21

'Waar is Piet mee bezig?' vraagt Jordi.

Hij is iets aan het knutselen.

Er ligt ook veel gereedschap.

Op tafel ligt een tekening.

Het lijkt op een ontwerp.

Jordi kijkt om zich heen.

Is Piet ergens buiten?

'Hé, kijk daar eens!

Is dat niet raar?'

Bart wijst naar het grasveld.

Jordi ziet wat hij bedoelt.

Er fietst iemand over het gras!

Helemaal aan de andere kant van de tuin.

'Ja, dat is raar,' zegt hij.

4. De grasmaaifiets

Er fietst echt iemand over het gras.
Maar het is heel ver.
Jordi en Bart kunnen het niet goed zien.
'Is het meneer Piet?' vraagt Jordi.
'Ik weet het niet zeker,' antwoordt Bart.
Ze blijven even kijken.
De fietser rijdt langzaam.
Hij gaat in een rechte lijn naar de overkant.
Daar draait hij om ...
En fietst weer terug.
Het lijkt wel of hij hulpwieltjes heeft.
Het is een kinderfiets, maar dan groot.
'Kom, we gaan erheen,' zegt Bart.
'Dit is echt raar!'
Ze lopen naar het grasveld.
Koezie rent vrolijk mee.
Hij draait steeds rondjes om Jordi's benen.
Jordi moet goed opletten.
Anders trapt hij op Koezie.
Dan zien ze het.
Het is nog gekker dan ze dachten.
Er rijdt inderdaad iemand op een fiets.

Maar het is geen gewone fiets.
Aan het achterwiel zit een soort rol.
En die rol is een ...
'Het is een grasmaaifiets!' roept Bart.
Op de fiets zit een meisje.
Of een vrouw.
Of iets tussen een meisje en een vrouw in.
Ze draagt een knálrode overall.
Ze heeft een grote pet op.
En lange rode krullen.
Ze lacht verlegen.
Ze heeft een grote, zwarte bril op haar neus.
Dan steekt ze een hand op.
'Wil je Koezie vasthouden?' roept ze.
'Anders komt hij in de maaier.'
Jordi wordt al naar bij het idee.
Snel tilt hij Koezie op.
De vrouw fietst weer ernstig verder.
Achter haar stuift het gras op.
De grasmaaifiets werkt goed.

Ineens klinkt er een bel.
Koezie rent meteen weg.
'O ja,' zegt Bart.

'We moeten eten als de bel gaat!'
De vrouw op de fiets steekt weer een hand op.
Dan fietst ze rustig verder.

Wat later zitten ze aan tafel.
Bart, zijn moeder, Jordi en Gilbert.
En Koezie.
Er hangt een klein stoeltje aan de tafel.
Dat is speciaal voor Koezie.
De tafel staat bóórdevol.
Er zijn broodjes en bolletjes,

taart en gebakjes,
twintig soorten beleg ...
Te veel om op te noemen.
En zéker te veel om op te eten.
'We zagen iemand fietsen,' vertelt Bart.
Gilbert hoort het niet.
Hij kijkt naar de moeder van Bart.
Het lijkt wel of hij een film ziet.
Een prachtige, spannende film.
'Hé mam,' zegt Bart.
'We zagen iemand fietsen op het gras.'
'Leuk joh,' antwoordt zijn moeder.
Ze staart glimlachend naar haar thee.
Alsof daar iets héél liefs in zwemt.
Pfff, wat zijn die twee verliefd, zeg!
'Hé, Koezie,' zegt Bart.
'We zagen iemand fietsen op het gras.'
'O ja?' vraagt Jordi met een piepstem.
'Vertel eens verder?'
Bart doet net of Koezie dat vroeg.
'Het was een vrouw,' vertelt hij aan Koezie.
'En ik vraag me af wie dat was.'
'Nou kijk, dat zit zo,' piept Jordi.
Dan moeten ze lachen.

'Ja Koezeboes,' zegt Gilbert.
'Maak maar grapjes, gekke hond!'
Jordi stikt haast in zijn broodje.
Zo hard moet hij lachen.
Ineens staat Gilbert op.
Hij heft zijn glas in de lucht.
'Proost!' zegt hij.
'Op de liefde, waar ik ...'
Hij kan niet verder praten.
Zijn ogen worden nat.
Hij bijt op zijn onderlip.
'Och, schat,' zegt Barts moeder.
Ze staat op en geeft hem een kus.
Bart zucht.
'Mogen wij weer naar buiten?' vraagt hij.
'Natuurlijk, jongens,' zegt Gilbert.
Het spijt me dat ik zo weinig aandacht voor jullie
heb.
Bart, je moeder is net een magneet!
Mijn ogen worden naar haar toe getrokken alsof ...'
Hij stopt met praten.
Zijn ogen worden weer nat.
'Lieverd,' zegt Barts moeder zacht.
Bart kijkt naar Jordi.

28

'Mam, we gaan weer naar buiten.'
'Wacht even,' zegt zijn moeder.
'Gilbert heeft me net iets gevraagd.'
Ze gaan trouwen, denkt Jordi.
'Hij vroeg of we de vakantie hier willen blijven,'
zegt ze.
'En dat vind ik wel gezellig!'
Gilbert wrijft over haar hand.
En zij wrijft weer over zíjn hand.
Bart doet alsof hij moet overgeven.
Zijn moeder ziet het niet.
Die ziet alleen Gilbert.
Jordi moet lachen.
'Leuk,' zegt Bart snel.
'Maar, mag Jordi misschien ...'
'Jordi mag álles!' roept Gilbert meteen.
'Yes!' zeggen Bart en Jordi.
Zelfs Koezie kwispelt.
Zijn staartje is nog kleiner dan een pink.
Dan gaat de deur open.
Piet komt binnen.
Hij heeft een karretje bij zich.
Daar staan drankjes en hapjes op.
En brokjes voor Koezie.

'Hé Piet!' roepen Jordi en Bart.
'Hallo jongens!' zegt Piet.
Hij probeert vrolijk te doen.
Maar er is iets aan de hand.
Dat kun je meteen zien.

5. Zonderdak

'Wat heb ik toch een geluk!' roept Gilbert.
Hij spreidt zijn armen.
'Jullie zijn mijn geluk!
Piet, kom zitten, wat wil je drinken?'
Piet schudt zijn hoofd.
'Nee dank u wel.
Ik ga even naar de kapper.
Vindt u dat goed?'
Gilbert kijkt bezorgd.
'De kapper?
Jij? Naar de kapper?'
'Dat advies kreeg ik van die dame,' zegt Piet.
'Die dame achter het loket.
Ze had nogal kritiek op me.'
'Palma,' zegt Bart.
Het lijkt net of hij 'poep' zegt.
Zo'n vies gezicht trekt hij.
'Je haar zit prima, hoor!' zegt de moeder van Bart.
Maar Piet wil toch naar de kapper.

Even blijft het stil.
'Die Palma heeft wel veel kritiek,' zegt de moeder

31

van Bart dan.

Bart knikt.

'Ze zei dat ik mijn schoenen moet poetsen.'

Gilbert lacht.

'Ach, ze bedoelt het goed!

Zijn jullie al bij het tuinhuis geweest?'

O ja, het tuinhuis!

'Bart en ik hebben door het raam gekeken,' vertelt Jordi.

'En het was heel, heel erg slordig!

Piet is toch altijd zo netjes?'

Gilbert geeft een brokje aan Koezie.

'Lekker smullen, schat!'

'Piet woont niet meer in het tuinhuis,' zegt Gilbert.

'Ik vind het te armoedig.

Hij had geen ligbad, geen open haard, geen bioscoop ...

Dat kán toch niet?'

Jordi, Bart en zijn moeder moeten lachen.

'Ik meen het!' zegt Gilbert.

'Zo'n lieve man.

En dan niet eens een eigen biljartzaal!'

'Het is een schande!' zegt Barts moeder.

'Maar wie woont er dan nu in het tuinhuis?' vraagt

32

Bart.
Jordi denkt dat hij het al weet.
De vrouw van de grasmaaifiets ...

Gilbert pakt nog een broodje.
'Het is een lang verhaal,' zegt hij.
'Ze heet Madoe.
Ik kwam haar tegen in de supermarkt.
Ze verkocht krantjes.
Ik kocht er meteen één.
En ze bedankte zo aardig.
De krant heette: *Zonderdak*.

Hij was gemaakt door mensen die geen huis
hebben.
Ik vroeg of zij wel een huis had.
Ze schudde haar hoofd.
Dus toen heb ik haar een huis gegeven.'
Hij neemt een hap brood.
'Dat is geen láng verhaal!
Het is korter dan kort,' zegt de moeder van Bart.
'Wat ben je toch een lieverd!'
Jordi moet lachen.
Hij ziet het helemaal voor zich.
'Heb je geen huis?'
'Nee.'
'Alsjeblieft, hier heb je een huis.'
'Maar nu is ze niet meer zonder dak,' zegt Bart.
'Verkoopt ze nog steeds die krantjes?'
Gilbert schudt zijn hoofd.
'Ze is nu met iets anders bezig!
Ga er maar heen.
Dan kunnen jullie haar ontmoeten.'

6. De uitzoeker

Het hele grasveld is keurig gemaaid.
De grasmaaifiets staat nu voor het tuinhuis.
'Is dit de bel?' vraagt Jordi.
Hij wijst naar een soort toeter die aan de deurknop
zit.
'Probeer maar,' zegt Bart.
Jordi knijpt in de toeter ...
'PAHOE!!'
Ze schrikken zich rot.
Wát een geluid!
De deur zwaait meteen open.
Daar staat de vrouw van de fiets.
'Sorry,' zegt ze.
'Stom hè, die toeter?'
'Juist leuk!' zegt Jordi.
'Ik ben Madoe.
Komen jullie binnen?'
De jongens lopen nieuwsgierig naar binnen.
'Sorry dat het zo'n troep is,' zegt Madoe.
Ze is heel verlegen.
Ze drukt steeds haar bril tegen haar neus.
'Geeft toch niet!' zegt Jordi snel.

'Mijn kamer is veel erger!'
Bart knikt.
'Zijn kamer is veel erger, ja.'
Madoe lacht verlegen.
'Willen jullie wat drinken?'
'Nee, dank je wel,' zegt Jordi.
Madoe wordt helemaal rood.
'Sorry dat ik het vroeg.'
Jordi vindt haar een beetje zielig.
Ze zegt zo vaak sorry!
Hij kijkt om zich heen.
De step, de stofzuiger, het fornuis ...
'Ben je iets aan het maken?' vraagt Bart.
Madoe knikt.
'Dat probeer ik.
Maar ik kan helemaal niks.
Ik ben heel onhandig.'
Jordi wil zó graag iets aardigs zeggen.
Maar wat ...
'Heb jij die grasmaaifiets gemaakt?' vraagt hij.
'Hij is mislukt,' antwoordt Madoe.
'Willen jullie gaan zitten?'
Ik wil wel, maar waar? denkt Jordi.
'Ja hoor,' zegt Bart aarzelend.

Madoe knikt en gaat op de grond zitten.

O ja, natuurlijk!

Bart en Jordi doen snel hetzelfde.

'Sorry dat ik geen stoelen heb,' zegt Madoe.

'En sorry dat ik zo vaak sorry zeg.'

Bart en Jordi moeten lachen.

'Wat probeer je dan te maken?' vraagt Bart.

Madoe wordt weer rood.

'Nou ja, niks,' mompelt ze.

'Ik ben een uitzoeker.'

Jordi denkt na.

'O, je bent een uitvinder!' zegt Bart.

'Nee hoor!' antwoordt Madoe.

'Want ik vind niks uit.

Ik zoek.'

O, vandaar, denkt Jordi.

Bart en Jordi kijken om zich heen.

'Wat is dit?'

Bart wijst op de step.

'O, die is ook mislukt,' antwoordt Madoe.

'Het is een stofstep.

Daarmee maak ik het huis schoon.'

'Dit huis?' vraagt Jordi verbaasd.

Madoe schudt haar hoofd.

'Het huis van meneer Gilbert.'

Ze pakt de step.

'Kijk, de wieltjes slurpen het stof naar binnen.

Waar je op staat, dat is de stofkast.

Als die vol is, kieper je hem om.

En dan ga je weer verder.

Gewoon een stofzuiger.

Stom hè?'

'Maar je gaat heel snel, want je stept!' zegt Bart.

Jordi knikt.

'En je hebt geen snoer nodig!'

Madoe haalt haar schouders op.

Maar Jordi heeft het allang door.

Zij is een echte uitvinder.

Héél onzeker, maar ook héél goed!

7. Allemaal uitvindingen

Jordi en Bart willen álles weten.
'Waarom heb je die tennisballen?' vraagt Bart.
'O, dat is mislukt,' zegt Madoe.
Jordi pakt een tennisbal op.
'Maar wat wilde je dan?'
 'Ik heb ze gepoold,' legt Madoe uit.
'Zo hoef je er niet steeds achteraan te lopen.
Ze rollen vanzelf terug naar de basis.'
Ze wijst naar een soort knuppel die rechtop staat.
'Zie je die pool?
Dat is de basis.
Dus als je tennist, rolt de bal vanzelf terug.'
Jordi gelooft zijn oren niet.
'Maar ... maar dat is ...'
'Geniaal!' roept Bart.
Madoe haalt haar schouders op.
'En dat?'
Jordi wijst naar een televisie.
Of eigenlijk zijn het er twee.
Maar ze zitten aan elkaar vast.
'Die is ook heel stom,' zegt Madoe.
'Ik heb hem voor meneer Gilbert gemaakt.

Het is voor verliefde mensen.
Als ze van andere programma's houden.
Zo kunnen ze tóch samen kijken.'
Ze pakt een koffiepot.
Er zitten vijf tuiten aan.
'Voor als je heel veel bezoek hebt,' zegt ze.
'Nu kun je vijf kopjes tegelijk inschenken.'
Jordi wijst naar een soort trampoline.
'Wat is dat?'
'Voor in het zwembad,' zegt Madoe.
'De veren zijn van rubber.

Het kan dus niet roesten.'
Ze zijn een tijdje stil.
'Stom hè?' zegt Madoe dan zacht.
'Juist niet!' roept Jordi.
'Je bent echt goed!' zegt Bart.
Madoe zegt niets.
Toch kun je zien dat ze het fijn vindt.
'Ik heb ook veel voor Koezie gemaakt,' vertelt ze.
'Bijvoorveeld een kleine zonnebril.
En dat tafelstoeltje.
En die blafherkenner bij de deur.
Dat doe ik voor meneer Gilbert.
Omdat hij zo veel van Koezie houdt.
Meneer Gilbert heeft mij zo veel gegeven.
Hij is zo aardig voor mij.
Nu heeft hij zijn grote liefde gevonden.
Mevrouw Anna, zij is ook lief voor mij.
Voor haar ga ik ook iets uitzoeken.'
Bart kucht.
'Zij is mijn moeder,' zegt hij.
Madoe kijkt hem lang aan, door haar dikke
brillenglazen.
'Dan ga ik voor jou ook iets uitzoeken,' zegt ze.
'O!' zegt Jordi blij.

'Ik ben zijn beste vriend.'
'Dan ga ik voor jou ook iets uitzoeken,' zegt
Madoe.
Jordi glimlacht tevreden.
'Ik weet al iets,' zegt hij.

Jordi en Bart zien iets raars. Er fietst een meisje over het gras. Op een grasmaaifiets!

Piet heeft een nieuw huis van meneer Gilbert gekregen. Nu woont Madoe in het tuinhuis. Gilbert vertelt over zijn ontmoeting met Madoe.

Jordi en Bart ontmoeten Madoe. Madoe is heel verlegen. Ze is een uitvinder.

Madoe vertelt over haar uitvindingen. Dan zegt ze dat ze ook iets voor Bart en Jordi gaat uitvinden.

8. Spoem

'Kun je iets uitvinden ...' begint Jordi.

'Iets waardoor ik niet meer gepest kan worden?'

'Danny,' zegt Bart meteen.

Jordi knikt.

Hij heeft het ineens bloedheet.

Nu pas voelt hij hoe bang hij voor Danny is.

Ze zitten nog steeds alle drie op de grond.

'Sorry,' zegt Madoe.

'Maar ik moet wel wat meer weten.'

'Vertel maar, Jor,' zegt Bart zacht.

En dan vertelt Jordi over Danny.

'Hij wacht me elke dag op.

En dan doet hij iets gemeens.

Schoppen, duwen, slaan ...

Of schelden, pesten ...'

Jordi zucht diep.

'Ik word gek van hem!'

Madoe zegt niets.

Ze pakt een schrift en bladert erin.

'Misschien een galeur,' mompelt ze.

Jordi en Bart kijken elkaar verbaasd aan.

'Nee, nee, een galeur is te zwaar,' zegt Madoe.

45

'Uhm, bedoel je dat ...' begint Jordi.

'Ja, ik weet het!'

Madoe steekt één vinger in de lucht.

'Een spoem natuurlijk.'

Bart knikt heel ernstig.

'Een spoem natuurlijk,' herhaalt hij.

'Wat is een spoem?' vraagt Jordi zacht.

'Geen idee,' antwoordt Bart.

Madoe springt op.

Uit de muur trekt ze een la.

Tenminste, daar lijkt het op.

Maar het blijkt een krukje te zijn.

Dan trekt ze iets uit de grond omhoog.

'Een tafel, wat handig!' roept Jordi.

Madoe hoort niets meer.

Ze begint druk te tekenen en te schrijven.

'Een mobiele spoem is het beste,' mompelt ze.

'Wat is een spoem precies?' vraagt Bart.

Jordi en Bart gaan snel naast haar staan.

Ze heeft een fiets getekend.

Naast de bel maakt ze een soort hendel.

Op de stang tekent ze een tank.

En dan tekent ze een ...

Tja, het lijkt wel erg op een wapen.

'Rood, blóedrood!' zegt ze tevreden.

9. Splash!

Jordi denkt aan Danny.
'Hij hoeft niet echt gewond te raken,' zegt Jordi
voorzichtig.
'Als hij schrikt, vind ik het ook al goed.'
Madoe tekent gewoon verder.
'En dan ... kaboem!' roept ze.
'Splash!'
Ze lacht hard en hoog.
Jordi vindt haar ineens een beetje eng.
Eindelijk stopt ze met tekenen.
'O, sorry!' zegt ze.
'Sorry, ik was jullie helemaal vergeten!
Kijk, dit is de spoem.'
Ze wijst het aan in haar schrift.
'Het is heel simpel.
Ik zet hem vast aan je fiets.
Als Danny bij je in de buurt komt, wacht je af.
En zodra hij iets gemeens zegt: SPLASH!'
'Splash?' vragen Bart en Jordi.
'O sorry, ik vergeet het uit te leggen!' roept Madoe.
'Het is een verfkanon.
Met één druk op de knop is Danny knalrood.

Van top tot teen zit hij onder de verf!
Dát doet de spoem!'
Bart moet lachen.
'Rooie Danny!'
'En als hij het nog eens doet, nemen we geel!'
Maar Jordi twijfelt.
'Ik weet niet of ik het durf,' zegt hij.
Madoe zucht heel diep.
'Ik durf ook nooit iets,' zegt ze.
'Ik word ook heel vaak gepest,
maar ik doe nooit iets terug.'
Jordi vindt haar zo zielig!
'Maar nu word je toch niet meer gepest?' vraagt
Bart.
Madoe haalt haar schouders op.
'Een beetje,' zegt ze zacht.
Ze kijkt naar haar schrift.
'Door wie dan?' vraagt Jordi.
'Laat maar,' antwoordt Madoe.
'Kom, we gaan aan de slag.'
Ze loopt naar de hoek.
Daar ligt een hamer, een zaag en nog meer
gereedschap.
Waarom geeft ze geen antwoord? denkt Jordi.

49

'Door wie word je gepest?' vraagt hij nog eens.
'Ach, laat maar,' zegt Madoe.
Ineens snapt Jordi het.
'Palma!' zegt hij.
Madoe knikt.
'Als ik langskom, knijpt ze haar neus dicht,' vertelt
ze.
'Oh!' roepen Jordi en Bart.
'En ze noemt me "zwerver".'
'Oh!' roepen ze nog harder.
'Sorry,' zegt ze.
'Niks sorry!' roept Bart.

'We maken nog een spoem!
Eentje met poep, en die is voor Palma.'
Gelukkig, Madoe moet lachen.

'Kom, we gaan aan de slag,' zegt ze dan.
Eerst vertelt ze wat ze nodig hebben.
Verf, plastic buizen, een motor, een lege fles ...
'Een motor?' vraagt Jordi.
'Hoe kom je daar nou aan?'
'Ken je niemand met een kapotte ijskast?' vraagt
Madoe.
'Of een brommer, een stofzuiger, een grasmaaier ...
Overal zit een motor in.'
'Mijn oom heeft wel plastic buizen,' zegt Bart.
'Dan ga ik op zoek naar een motor,' zegt Jordi.
'Dan begin ik vast aan de trekker,' zegt Madoe.
Bart knikt.
'Natúúrlijk, de trekker!'
'Wat is nou een spoem zonder trekker!' roept Jordi.
Madoe moet lachen.
Ze vergeet helemaal om 'sorry' te zeggen.
Jordi staat meteen op.
Actie!
'We gaan hem helemaal omver spoemen!' zegt hij.

10. Assistent van de uitzoeker

De buren van Jordi hebben een kapotte stofzuiger.
Pech voor hen!
Maar mazzel voor Jordi.
Natuurlijk mocht hij de motor hebben.
'Wat ga je ermee doen?' vroeg de buurvrouw.
'Beetje knutselen,' had Jordi gezegd.

Al snel is hij weer bij het huis van Gilbert.
Er staat een bord: POESJES TE KOOP.
O ja, daar had Stern het net over.
Poing, hij krijgt meteen een heet hoofd.
Dat komt door Stern.
Hij kwam haar net tegen, op de fiets.
En vanaf dat moment klopt zijn hart heel snel.
Niet dat hij verliefd is, hoor!
Tsss, doe normaal zeg, het idee alleen al!
Hij loopt gauw naar binnen, met zijn fiets.
Die heeft Madoe straks nodig.
O, hij moet eerst langs Palma zien te komen.
Die zal wel weer moeilijk doen.
Met een kwaaie kop zit ze haar krant te lezen.
'Zou ik misschien voor één keer met de fiets ...'

begint Jordi.

Pèp, ze drukt de deur meteen open.

O, lekker makkelijk.

'Bedankt!' zegt hij.

Tuttebel, denkt hij.

Bart is al bij Madoe.

Hij kijkt heel lang naar Jordi.

O nee, zou hij iets zien?

Is mijn hoofd nog rood? denkt Jordi.

Niet aan Stern denken, niet aan Stern denken.

'Hard gefietst?' vraagt Bart.

'Keihard,' antwoordt Jordi snel.

Het is leuk om de assistent van een uitzoeker te
zijn.

Madoe vertelt alles wat ze doet.

'Kijk, in deze tank komt de verf.

Die tank moet ik onder druk zetten.

Dat doe ik met een fietspomp.'

'Met een fietspomp?' roepen Jordi en Bart
verbaasd.

Madoe knikt.

'En de trekker komt op het stuur.'

Met ijzerdraad zet ze alles vast.

De buizen plakt ze tegen de stang aan.

Je ziet er haast niets van.

Jordi en Bart snappen nu ook wat een trekker is.

Het is een hendel.

Als je eraan trekt ...

SPLASH!

De hele verfbus spuit in één keer door de buis.

'En dan?' vraagt Jordi.

'Kwestie van goed richten,' antwoordt Madoe.

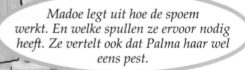

Madoe bedenkt een uitvinding voor Jordi. Zodat hij niet meer gepest wordt door Danny. Madoes uitvinding is een spoem.

Madoe legt uit hoe de spoem werkt. En welke spullen ze ervoor nodig heeft. Ze vertelt ook dat Palma haar wel eens pest.

Onderweg naar Madoe komt Jordi Stern tegen. Hij krijgt steeds een rood hoofd als hij haar ziet. Bart en Jordi helpen Madoe met de spoem.

11. Succes, Jordi!

Bart en Jordi zitten op de fiets.
'Vind je het eng?' vraagt Bart.
'Een beetje,' antwoordt Jordi.
'Een beetje veel?' vraagt Bart.
Jordi knikt.
'Om precies te zijn: dóódeng!' zegt hij.
Bart moet lachen.
Ze fietsen naar de buurt waar Danny woont.
Bart gaat straks achter een auto zitten.
En dan gaat Jordi spoemen.
'Je hebt zijn mobiele nummer toch wel?' vraagt
Bart.
Jordi knikt.
'Hij heeft zó veel sms-jes gestuurd!'
'Naar jou?' vraagt Bart.
'Ja, dat ik dik, dom, vies en lelijk ben,' zegt Jordi.
Ze zijn een tijdje stil.
'Het is bijna voorbij,' zegt Bart dan.

Barts fiets zetten ze om de hoek.
'Daar, achter die auto kun je goed zitten,' zegt
Jordi.

'Ik ga bellen.'

Hij haalt heel diep adem.

Wat zou Stern van dit plan vinden?

Hij weet zeker dat ze zou moeten lachen.

'Je wordt helemaal rood,' zegt Bart bezorgd.

'Zenuwen,' antwoordt Jordi snel.

Niet meer aan Stern denken!

Hij toetst het nummer van Danny in.

'Ja?' hoort hij Danny zeggen.

Alleen die stem al maakt Jordi bang.

'Met Jordi.'

'Jordi met je neus in een pordi,' zegt Danny.

Waar sláát dat nou op?

'Kom eens naar buiten,' zegt Jordi.

'Ik moet je wat zeggen.'

'Voor jou zeker,' antwoordt Danny meteen.

Jordi kijkt hulpeloos naar Bart.

'Doorgaan,' fluistert Bart.

'Het is heel belangrijk,' zegt Jordi.

'Zal best, waar ben je dan?'

'In jouw straat.'

'Daar heb je niets te zoeken,' zegt Danny.

'Kom je naar buiten?' vraagt Jordi.

'Gaat je niks aan.'

Tuut, tuut, tuut.
'Je moet niet zo lief praten,' zegt Bart.
Lief? denkt Jordi.
Bang bedoelt hij.
'Succes!' fluistert Bart.
Hij gaat gauw achter de auto zitten.

Doodse stilte.
Jordi heeft zijn vinger bij de trekker.
Hij probeert rustig te ademen.
Danny komt niet, denkt hij.

Ik sta voor gek met mijn spoem.
Ik zal altijd gepest worden.
Hij is nu eenmaal sterker!

12. Danny

'Hé, nokken, moeven!' hoort hij.
Danny!
Daar komt hij aan.
Hij draagt een blauwe broek en een paars jack.
Blauw en paars ...
Nóg wel, denkt Jordi.
Maar straks zijn ze rood, en jij ook!
Meteen gebeurt er iets geks.
Jordi is niet meer bang!
Hij heeft zijn duim op de trekker.
En hij ziet het gezicht van Madoe voor zich.
En ook het gezicht van Stern.
'Wat wou je nou zeggen, smurf?' vraagt Danny.
Jordi haalt diep adem.
Hij kijkt Danny recht aan.
'Wáág het niet,' begint hij dreigend.
'Waag het niet om mij nog één keer te pesten.
Nog één stomp, één duw, één scheldwoord ...'
Danny zegt niets.
Kom dan, kom dan, kom dan, denkt Jordi.
Iets dichterbij, graag.
Maar Danny blijft staan.

Jordi denkt na.
Wat moet hij nou nog zeggen?
'Het is over, klaar, uit!'
'Moet ik toch zeker zelf weten,' zegt Danny.
Maar het klinkt niet stoer.
Helemáál niet.
Eerder een beetje bang.
Huh?
Hier had hij niet op gerekend.
'Kom dan!' zegt Jordi.
'Doe maar iets, dan zul je het zien.'
Hij spreidt zijn armen.
'Sla dan!
Of ben je ineens bang?
Lafbek!'
Wat zég ik nou allemaal, denkt hij.
'Ach man,' mompelt Danny.
En hij blijft gewoon staan!
Jordi wijst op zijn wang.
'Hier, kom maar, sla maar!'
'Ach man, hou je kop, man,' zegt Danny.
Jordi's vinger schuift langs de trekker.
Danny zei net: 'Hou je kop, man.'
Was dat genoeg om te spuiten?

Kon hij maar even overleggen met Bart.
Komt het omdat hij zo stoer praat?
'Dus geen geintjes meer!' zegt hij.
'Ach man,' mompelt Danny weer.
Hij kijkt steeds naar de grond.
Alsof hij een euro heeft laten vallen.
Jordi vindt hem zelfs een beetje zielig.
Hé, hoort hij Bart lachen?
Of denkt hij dat maar?
'Nou, hup, weg jij,' zegt hij dan.
Zonder iets te zeggen draait Danny zich om.
Sjok, sjok, loopt hij terug naar huis.

Jordi kijkt hem na.
Hij voelt nu pas dat hij helemaal trilt.
Dan komt Bart tevoorschijn.
Hij loopt krom van het lachen.
'Oei, oei, ik kan niet meer,' piept hij.
Jordi kijkt omlaag.
Zijn vinger zit nog steeds op de trekker.
Dan kijkt hij weer naar Bart.
En naar de plek waar Danny net stond.
En pas dan ...
Valt hij bijna óm van het lachen.

Een kwartier later knijpen ze weer in de toeter van
Madoe.
PAHOE!
Metéén gaat de deur open!
Madoe stond al te wachten.
'En?' vraagt ze.
'Hoe ging het, hoe ging het?'
'Perfect!' zegt Jordi.
'Je spoem is gewéldig!'
Lachend vertellen ze wat er gebeurde.
'Maar, maar ... hij werkt dus niet?' vraagt Madoe.
'Hij werkt juist perfect!' roept Jordi.
'De spoem geeft kracht,' zegt Bart plechtig.
'Maar ...' stamelt Madoe.
'Wacht maar,' zegt Jordi.
'Ik ga het laten zien.'

13. 'Sorry!'

Bart en Jordi gaan naar de kamer van Palma.
Madoe schuifelt achter hen aan.
Ze heeft een riem om haar middel.
Daar hangt de spoem aan.
In haar hand heeft ze de trekker.
Ze is zo bang, dat ze ervan zweet.
Voor de deur staan ze stil.
'Succes, Madoe,' fluistert Bart.
Maar Madoe schudt haar hoofd.
'Sorry,' piept ze.
'Maar ik durf niet.
Ik ga weg.'
'Nee!' zegt Jordi.
Hij gaat snel achter haar staan.
'Kom, we oefenen nog een keer,' zegt hij.
Madoe knikt, maar ze zegt niks.
'Je gaat dus naar binnen,' begint Bart.
Ze knikt weer.
'En dan?' vraagt Jordi.
'Ehm ...' Madoe denkt na.
'Dan zeg ik dat ze normaal moet doen.'
'Goed zo!' zegt Jordi.

'En anders?'

'Anders krijgt ze spijt,' antwoordt Madoe zacht.

'Je praat te lief!' zegt Bart.

Dat is niet lief, dat is bang, denkt Jordi.

Ze staan nog steeds voor de deur.

Misschien lukt het niet.

Misschien is Madoe echt te bang.

'Dan zegt ze misschien wel dat je stinkt,' gaat Bart
verder.

'En dan?'

Madoe haalt haar schouders op.

'Je hoeft niet echt te spuiten,' zegt Jordi.
'Je moet dreigen.'
Madoe knikt.
'Wáág het niet,' zegt ze.
'Als je nog één keer zegt dat ik stink ...'
Ze denkt heel diep na.
'Sorry,' zegt ze dan.
Jordi kijkt Bart aan.
'Het lukt niet,' zegt hij.
Maar Bart doet snel de deur open.
Hij geeft Madoe een duwtje.
'Het lukt wel.'

Langzaam loopt Madoe de kamer in.
Bart en Jordi gluren vanachter de deur.
'Zeg wat, zeg dan wat!' fluistert Jordi.
Maar Madoe blijft doodstil.
Ze zegt niks, ze beweegt niet ...
Eerst doet Palma alsof ze haar niet ziet.
Ze kijkt weer in haar tijdschrift.
Dan zucht ze diep.
Boos doet ze het loket open.
'Ik wil niet dat je hier komt,' zegt ze.
'Dat heb ik al gezegd.

Ksssst, weg!'
Jordi en Bart worden woedend.
'Hup Madoe, zeg iets terug!' fluistert Jordi.
Maar Madoe zegt helemaal niks.
Ze loopt naar het loket ...
Ze trekt aan de hendel van de spoem ...
En ze zet, hupla, de spuit op Palma.
Die krijst van schrik.
Madoe blijft gewoon staan.
Ze spuit en spuit en spuit.
Binnen een minuut is Palma helemaal rood.
En het loket ook.
Dan draait Madoe zich langzaam om.
En eindelijk zegt ze iets:
'Sorry!'

14. Sorry (2)

Jordi trekt Madoe snel de gang in.
Hij doet meteen de deur achter haar dicht.
Bart staat krom van het lachen.
'Geen woorden, maar daden!' zegt hij.
En weer schatert hij het uit.
Maar dan begint Madoe te huilen.
'Wat heb ik gedaan!' snikt ze.
'Meneer Gilbert zal wel woedend zijn.
Nu stuurt hij me weg.
Het is helemaal fout wat ik deed.
Je mag niet zomaar iemand ...'
Ze kan niet meer praten van het huilen.
'Wacht eens!' roept Bart.
'Geef die spoem gauw aan mij!
Ik zeg wel dat ik het deed.
Mij kan hij niet wegsturen.
Hij is veel te verliefd op mijn moeder.'
Jordi vindt het een goed idee.
Maar Madoe schudt haar hoofd.
'Palma weet toch dat ik het was?'
Ze kijkt zo bang en verdrietig.
'O, wat heb ik gedaan!'

Jordi opent de deur op een kier.

'Ze is weg,' zegt hij zacht.

'Ik zie rode voetstappen naar de deur.'

'Ik heb zo'n spijt!' huilt Madoe.

Eigenlijk is het onze schuld, denkt Jordi.

Wij hebben het bedacht.

Dan gaat de deur van de biljartzaal open.

Eerst komt Koezie naar buiten gerend.

Hij rent meteen naar Jordi.

Achter hem lopen Gilbert en de moeder van Bart.

'Hé, hallo!' roept Gilbert blij.

Madoe begint nóg harder te huilen.

Ze zegt wel honderd keer sorry.

'Wat is er, wat is er?' roept Gibert.

'Het was ons plan,' zegt Jordi.

Maar niemand hoort hem.

Madoe roept veel te hard 'sorry'.

Dan doet de moeder van Bart de deur open.

'O jee,' zegt ze.

Gilbert kijkt naar het rode loket.

Daarna naar Madoe.

Naar de spoem en de trekker.

'Heb je op Palma gespoten?' vraagt hij verbaasd.

'Sorry, ja, sorry!' roept Madoe.

71

'Expres?' vraagt Gilbert.
Bart gaat gauw voor hem staan.
'Ze deed echt gemeen tegen Madoe.'
Barts moeder begint ineens te lachen.
Ze kan niet meer stoppen.
'Ik had zo'n hekel aan Palma!' giechelt ze.
'Je moet maar niet boos zijn, lieverd.'
Maar Gilbert is helemaal niet boos.
'Opgeruimd staat netjes,' zegt hij.
'En rood is een prachtig kleur.
We laten het zo.

En nu allemaal mee.
Het is tijd voor thee met taart!'

Even later zitten ze aan tafel.
Meneer Piet heeft hen bediend.
En nu zit hij er zelf ook bij.
Zijn haar zit kéurig.
'Ik ben ook blij dat ze weg is.
Maar wie moet nu de deur opendoen?' zegt hij
bezorgd.
Tja ...
Dan schraapt Madoe haar keel.
'Ik heb een klein, stom idee,' zegt ze.
'Ik hang een microfoon bij het loket.
Daar moet de bezoeker zijn naam in zeggen.
Meneer Piet krijgt een luidspreker.
En een drukknop.
Zo kan hij de deur op afstand opendoen.'
Ze kijkt verlegen naar de tafel.
'Sorry,' zegt ze dan.
'Dat was echt een stom idee.'
Maar Gilbert staat op.
'Het is een gewéldig idee!
Je bent de beste uitvinder van het land.

73

Applaus voor Madoe!'
Ze klappen allemaal heel hard.
Madoe wordt knalrood.
Jordi ziet dat ze heel trots is.
'En nog even iets!' zegt Gilbert dan.
'Vanaf nu zegt niemand meer sorry!'
Hij slaat met zijn hand op tafel.
Koezie vliegt haast uit z'n stoeltje van schrik.
'O, sorry, Koezemoes,' zegt Gilbert.

Jordi en Bart gaan met de spoem naar Danny. Jordi belt Danny. Hij vraagt of Danny naar buiten komt. Bart verstopt zich.

Jordi daagt Danny uit. Maar Danny doet niks! Hij lijkt wel bang. Jordi snapt er niks van.

Madoe gaat met de spoem naar Palma. Maar ze durft niet naar het loket te gaan. Bart geeft haar een duwtje. Dan test Madoe de spoem ... op Palma!

Madoe moet heel erg huilen. Ze is bang dat meneer Gilbert heel kwaad zal zijn. Maar hij vindt het helemaal niet erg. 'Opgeruimd staat netjes,' zegt hij. En daar is iedereen het mee eens.

Colofon

LEES N!VEAU

		ME	ME	ME	ME	ME		
AVI	S	3	4	5	6	7	P	
CLIB	S	3	4	5	6	7	8	P
Avontuur								

Toegekend door Cito i.s.m. KPC Groep

avi 5

1e druk 2008

ISBN 978.90.487.0045.5
NUR 282

De Nederlandse Kinderjury 2009

© 2008 Tekst: Mirjam Oldenhave
Illustraties: Marja Meijer
Vormgeving: Kameleon Design
Redactie: Drie redactie & communicatie
Uitgeverij Zwijsen B.V., Tilburg

Voor België:
Uitgeverij Zwijsen.be, Antwerpen
D/2008/1919/350

De auteur en illustrator

Ik ben geboren in 1960. Na mijn schooltijd in
Nijmegen gaf ik toneelles aan kinderen. Ook
speelde ik mee in een toneelgezelschap.
Daarna verhuisde ik naar Amsterdam.
In die tijd begon ik met het schrijven van
kinderboeken. Nu schrijf ik vijf dagen per
week op mijn laptop in de keuken.
En ik geef les aan mensen die kinderboeken
willen schrijven.

Ik ben Marja Meijer en ik ben in 1966 geboren
in het Groningse Musselkanaal. Van jongs
af aan was tekenen mijn grootste hobby.
De schetsboeken waren niet aan te slepen.
Gelukkig woonden we tegenover een
supermarkt. Mijn vader haalde daar
wekelijks grote reclameaffiches; op de lege
achterkanten kon ik me heerlijk uitleven. Na
de middelbare school verhuisde ik naar Kampen
om naar de kunstacademie te gaan. Het was
niet moeilijk om te kiezen wat ik later wilde worden: illustrator.
Ik teken vooral voor kinderboeken en prentenboeken. En als het
verhaal maar leuk genoeg is, zoals in dit boek, is het het leukste
beroep dat er is. Naast tekenen houd ik ook erg van hardlopen,
lezen in de vakanties en kaas. Wil je nog iets meer weten of heb je
een leuk verhaal, ga dan naar mijn website:
www.marjameijer.nl.

In deze serie zijn verschenen:

Plan drie

Jordi haat Danny.
Toch speelt hij met hem.
Omdat Danny een foto heeft van Jordi´s geheim.
Hoe komt Jordi van Danny af?

Stern is het zat!

Stern ziet dat papa een vreemde vrouw kust.
Rare papa!
Straks gaat hij nog bij mama weg.
Daar heeft Stern echt geen zin in, ze vertrekt!

Held redt hond (vervolg op *Plan drie*)

Jordi redt een hondje uit de gracht.
Hij mag van de baas van het hondje een beloning kiezen.
Maar zijn vriend Bart zit in de problemen.
Wat zal Jordi nu doen?

Poesjes in nood! (vervolg op *Stern is het zat!*)

Stern hoort iets piepen. Vlak bij een grote, oude flat.
Ze vindt een nest poesjes.
Stern gaat op zoek naar de moeder.
Maar dan ontdekt ze nog veel meer ...

Wáág het niet! (vervolg op *Held redt hond*)

Achter het huis van Gilbert woont Madoe.
Zij maakt vreemde uitvindingen.
'Ik word gek van Danny,' zegt Jordi tegen Madoe.
'Hij blijft me maar pesten.
Kun jij iets voor me verzinnen?'

Dat doe je niet (vervolg op *Poesjes in nood!*)

Stern gaat even langs de poezen.
Die wonen bij Gilbert, de baas van de flat.
Maar wat ziet ze op een bord achter het raam?
Poesjes te koop.
Dat kan niet!.